非常小子
马鸣加

郑春华/著
姚 红/图

马鸣加和匿名信

少年儿童出版社

马鸣加

马鸣加，生于 4 月 8 日，男生。

马鸣加，小个子、小眼睛、尖下巴，算不上漂亮（马鸣加才不稀罕漂亮呢，他又不是小姑娘）。喜欢和"小"字连在一起的一切动物植物，比如小鸡、小猫、小花、小鱼什么的。

马鸣加，喜欢拼装赛车、看漫画书、看动画片；喜欢足球、篮球、乒乓球。

马鸣加，喜欢吃黑椒牛排、烤羊肉串、波力海苔、辣牛肉干。

马鸣加，不喜欢跳舞唱歌，不喜欢穿有鞋带的运动鞋，不喜欢穿有扣子的衣服，不喜欢洗澡，不喜欢吃一切没有肉的蔬菜。

苏 多

苏多,生于9月9日,女生。

苏多,个子跟马鸣加一般高,看上去很可爱(其实她蛮厉害的,不然马鸣加不会怕她呀)。

苏多,马鸣加的第二任同桌,她是中途转学到这个班级来的,因为她的到来,马鸣加很快就忘记了毛毛虫。

周　密

周密，生于 2 月 1 日，没出生时大家都猜测是女生，生出来时居然是男生。

周密，个子高高大大的，眼睛大大的，很帅，可能是因为个子太高大，看起来总像马鸣加班上的留级生（别告诉他，他会揍死我的）。

周密，与马鸣加同班，开始是马鸣加的死对头，后来也成了哥们。

周密，喜欢喝带汽的饮料，喜欢收藏所有自己喝过的饮料罐，在他的小屋里就有一座用空饮料罐搭起来的金字塔。

张耀明

张耀明，生于 6 月 9 日，爸爸妈妈猜他是男生，生出来还是男生。

张耀明，三岁时被查出远视眼，就戴上了眼镜，一直戴到现在(他喜欢别人叫他老博士，不喜欢别人喊他四只眼)。

张耀明，与马鸣加同班，也是马鸣加的哥们。

张耀明，喜欢吃各种各样的口香糖，好几次因为乱扔口香糖被老师罚抄课文，最厉害的一次罚抄十遍，他当场就哭了。

目 录

马鸣加和匿名信

马 妈 归

今天上午第二节课一下课，马鸣加就冲到门房间去看钟：10点零2分。还好,妈妈的飞机是10点零5分起飞。马鸣加赶紧跑到操场上,仰头看着天空。

丁转转跑来问他："你在看什么？"

马鸣加说："不看什么。"

"我们到双杠那儿去玩吧！"丁转转用手臂钩住马鸣加的肩膀。

"我不去。我要在这儿看……"马鸣加从丁转转的手臂下面钻出来。

"看什么呀？"丁转转也抬头跟着看起来。后来他见马鸣加好像不怎么愿意搭理他，就自己去双杠那儿了。

马鸣加在等着看妈妈的飞机。妈妈要到德国去考察一个月。马鸣加不是想妈妈了，马鸣加是担心妈妈的飞机会不会被劫持。妈妈说："真的被劫持了，我会跳伞逃生的，你放心吧！"可马鸣加就是担心。爸爸一直坐飞机的，马鸣加从不担心，因为爸爸是男的。妈妈可是女的呀！

上课的音乐声响起来了，马鸣加跑向教室，正好在教室门口撞上老师。老师摸摸马鸣加的头说："妈妈今天走了是吗？"

马鸣加点点头。老师又说："你要好好学习，让妈妈放心。"马鸣加又点点头。

马鸣加在学校里一切正常，正常上课，正常下课，正常写作业，正常吃午饭，正常和同学玩……可每天下午一出校门马鸣加就有些不对头了，满脑子好玩的事情、想做的事情都跑光了，而跑进来的全都是妈妈：妈妈在阳台上等他的样子；

妈妈拖他去卫生间洗手的样子；妈妈端给他珍珠奶茶的样子；妈妈说"怎么又晚回来"的样子……现在马鸣加放学回家，只有孤零零一个人，自己拿钥匙开门，自己洗手，饿了自己找吃的，晚回家和早回家都没人问。爸爸每天要到六点钟才回来做晚饭给马鸣加吃，而更可恨的是他天天都给马鸣加吃面：什么盖浇面、葱油面、鸡蛋面、大排面……吃得马鸣加只觉得肚子里乱七八糟黏糊糊一团，刚吃完就想把它们吐出来。可爸爸却拌上辣酱边吃边咂嘴巴："好吃！过瘾！"看他辣得一头的汗，还硬撑什么？假辣鬼子！爸爸还什么都让马鸣加自己做：自己盛面，自己洗碗，自己洗澡，自己铺床。第一天、第二天马鸣加觉得自己做也蛮好玩的，可第三天就觉得不好玩了，等到了第四天已经觉得烦死了！

这天晚上马鸣加躺在床上终于忍不住了，悄悄哭起来，正好爸爸找不到钉书机进去问马鸣加。

"你在哭？"爸爸很惊讶，"想妈妈了？"马鸣加干脆"呜呜"大哭起来。

爸爸拍拍马鸣加的脑袋说："别哭了，明天是星期六，爸爸不上班，带你到科技馆去！"马鸣加这才不哭，一会儿就睡

着了。

第二天,爸爸睡懒觉,让马鸣加着急地等了一个多小时才起来。妈妈以前要带马鸣加出去,可都是要比马鸣加早起来的。现在没办法,马鸣加只好忍着,一边看电视,一边耐心等着。好不容易把爸爸等醒了,等起来了,等出了卫生间,可还得等他接完一个长长的电话。

他们总算出门了。不错,爸爸先带马鸣加去吃了一顿美味的港式早茶,然后就直奔科技馆。

　　这一天马鸣加没怎么想妈妈,因为爸爸整天都跟他在一起,晚上还买了面粉和肉馅,和马鸣加一起包饺子吃呢!

　　转眼一个月到了,昨天妈妈打来电话说今天回家,马鸣加接到电话高兴得要命:"妈妈,你什么时候到? 我去接你好吗?妈妈你给我带了什么礼物?妈妈我语文测验全班第一名。妈妈,我们楼下的大门油漆过了,现在是绿色的,你回来别找不到哦! 妈妈……"要不是爸爸把电话拿过去,马鸣加不知道会说到什么时候!

　　妈妈要回家的这一天,马鸣加反而不正常起来:上语文课的时候被老师点了十一次名,因为他老把语文书分开当做屋顶盖在头上;下课的时候三次被同学揪到老师的办公室里去,因为他总在外面用力拉住男厕所的门,不让小便好的男生出来玩……这天还有更反常的事情哩! 下午第二节课上课之前,班主任老师走到办公室里,竟看见她的办公桌上面写着三个大大的粉笔字:马妈归。老师很奇怪。这是谁写的? 什么意思? 当上课的音乐声响起时,老师穿过走廊,在走廊里也看见了这三个字;老师走过男厕所,在厕所的门上也看见了这三个字;老师走进教室,竟在黑板上、墙上、课桌椅上都看

到了同样的这三个字。

　　"是马鸣加写的！"

　　"我看见马鸣加写的！"

　　"他还写在我的衣服上！"

　　……

　　同学们都向老师报告。老师想了想,忽然笑了,她走到马

鸣加身边问："是不是妈妈今天要回来了？"

马鸣加点点头，然后小声说："我也不知道怎么会写了那么多。我下课的时候会去擦掉的。"

妈妈到家的时候马鸣加还没放学。妈妈放下行李就到学校去了。当妈妈在教室外面出现的时候，全班同学都在朝妈妈看，朝妈妈笑，还高兴地拍手，只有马鸣加像没事人一样看着黑板。

　　大家看见了吗？马鸣加可是不想妈妈的男子汉哦！

壁橱里的玩具箱

自从马鸣加上学这一天起,他就再也看不到他原先堆积如山的玩具了,妈妈把它们装进三个大纸箱,全部藏进壁橱里了。那天马鸣加流泪了,只是没有哭出声来,马鸣加不明白为什么上学以后就不能玩玩具了?

"上学以后就要把时间花在学习上,要是再整天玩玩具,你就要倒退到幼儿园里去了!"妈妈一字一句地说,根本不问马鸣加是不是同意。

原先马鸣加放玩具的地方,现在已经放着一张崭新的写字台,写字台上面还有一层,妈妈说以后可以放一些参考书。

"什么叫参考书?"马鸣加不懂。

妈妈说:"就是对学习有用的书。"

"那能让我先放几个奥特曼吗?"反正现在没有参考书,空着多浪费呀! 要是放上几个奥特曼,这书桌看上去肯定漂亮极了!

可还没等马鸣加在自己的想像中陶醉过去,妈妈就坚决地摇摇头。

与玩具分别的日子就这么一天天过去了,开始马鸣加很不习惯,一到星期天就在壁橱的门外转,央求妈妈:"让我把

那辆遥控装甲车拿出来玩一会儿好吗？"妈妈又是坚决地摇摇头。

"妈妈你怎么这样啊……"马鸣加想说妈妈你怎么这么狠心,可他还不会用"狠心"这个词。

妈妈冷冰冰地说:"要是我不这样,你到现在连奶嘴都没断掉哩!"

"你说什么呀？"马鸣加没太听懂。

慢慢地,马鸣加就不提了,后来也就习惯了没有玩具的日子。再说上学以后他认识了很多新朋友,新朋友之间很少说玩具的话题,那要被同学笑话的,他们一般都说电视里正在播放的动画片,要么就打打闹闹,用身体撞来撞去。

在马鸣加上学半年以后,壁橱里的玩具也就被马鸣加忘记了。

可今天美术老师的一句话,又勾起了马鸣加对他那些玩具的想念。美术课快结束时美术老师说:"下一堂美术课请同学们每人带一辆玩具车来……"

马鸣加放学一到家就直奔壁橱,翻放玩具的纸箱,他一边放心地翻,一边在想着妈妈会跑来说的话。反正不管妈妈说什么,最终马鸣加只要把老师搬出来,妈妈就没话可说了。他翻着,想着,心里真是快乐死了。

妈妈果然急匆匆跑来说:"马鸣加你翻什么呀?"

马鸣加慢悠悠地回答:"翻玩具……"

"不许翻!"

"是美术老师让我们带玩具车到学校里去……"

"什么?老师让你们把玩具带到学校里去?"嘻,妈妈吃惊得好长时间都没有声音。

马鸣加已经找到了那辆遥控装甲车,从壁橱里出来了:"是啊,老师说下一堂美术课要让我们画自己带去的玩具

车。"马鸣加说完就捧着装甲车往自己的小屋里跑。妈妈有些生老师的气:干吗又让学生去接触玩具呀?儿子好不容易都已经忘记他的玩具了,可现在……

"那你现在也别玩,等到上美术课的时候带去就行了!"妈妈追到小屋里说。

马鸣加早就想好了对话:"我得把它擦擦干净呀!还要熟悉它的结构,不然我会画不好的。"妈妈没话可说了,只好走出去。

那天的美术课,全班 32 个同学带来了 32 辆各不相同的玩具车:丁转转的是一辆中间可以弯曲的蓝色电车;周密的是一辆可以升降的红色救护车;陆军的最棒,是一辆黑色仿真老爷车,还是敞篷的呢……马鸣加乐坏了,他每一辆都换过来玩,一直玩到开始上美术课了,他还在别人的座位上。

这天放学一到家,妈妈就说:"快去把玩具车放好!"妈妈今天好像什么事都没做,就为了这辆玩具车一直等在门口似的。

可马鸣加早晨拿走的装甲车现在却变成了吉普车:"装甲车被同学换去玩一天……"妈妈没办法,只好等到第二天再说。

可第二天马鸣加放学回家,吉普车又变成了赛车:"还有一个同学要换去玩一天……"妈妈知道自己上当了,马鸣加想用这种方法来拖延时间。妈妈越想越生气,便对马鸣加这样说道:"如果你明天再不把你自己的玩具车拿回家,我就把三箱子玩具全部送给楼下的小弟弟!"

这怎么行? 决不能让妈妈这么做! 第三天放学,马鸣加就乖乖地把装甲车带回来放进壁橱里。

"怎么还不出来?"妈妈在壁橱外面等着。

还有一个同学要

换去玩一天⋯⋯

又过了好一会，马鸣加才从壁橱里出来，妈妈看见他低着头，还发现他的眼圈竟有点红。等马鸣加走开了，妈妈再跑进壁橱里去看，只见三个大纸箱还像原来一样，被封得好好的。妈妈愣了愣：马鸣加真是太喜欢、太舍不得、太爱护他的这些玩具了！

这件事情让爸爸知道了，爸爸帮了马鸣加一个大忙，他对妈妈说，要是马鸣加在星期天把作业都做完了，就允许他把玩具拿出来玩一下吧？爸爸一说完，马鸣加赶紧看妈妈，不知道妈妈是点头还是摇头。啊！妈妈点头了！妈妈点头了！马鸣加高兴得跳起来，狠狠地亲了爸爸一口，又狠狠地亲了妈妈一口！

后来的每个星期天，马鸣加都早早地起床，早早地写完作业，早早地开始玩他心爱的玩具。

夏令营

学校里要组织夏令营,这可把马鸣加给乐坏了!你知道他为什么这么高兴吗?因为老师说可以带帐篷到学校里去住。马鸣加早就有帐篷了,可就是至今没有夜里单独在外面住过帐篷。妈妈老是说要着凉的,爸爸老是什么都听妈妈的,害得马鸣加家里的那顶绿帐篷,整天被塞在壁橱里,最多最多也就是在白天让马鸣加带到公园里去玩过。那怎么能算真的住过帐篷呢?

　　"你这样撑着多占地方！"马鸣加一回家就找出帐篷撑起来，妈妈走来走去嫌麻烦。

　　"反正放在我自己的房间里！"马鸣加赶紧把帐篷拿进去了。

　　这天晚上等爸爸妈妈一睡下，马鸣加就偷偷钻进帐篷里去睡了，他总得先过过瘾呵！他兴奋地在帐篷里滚来滚去，觉得只有睡在这样的帐篷里，才算得上是真正、真正地睡在属于自己的"小屋"里……就这样马鸣加兴奋得睡不着，只盼望着天快亮，太阳快出来！

夏令营

第二天一早到学校开始夏令营，马鸣加又急切地盼望着天快黑，月亮快出来。好不容易等到了篝火晚会和野餐，好不容易等到了搭帐篷睡觉的哨声，同学们三三两两拿着自己的帐篷，开始在学校里东游西转，都想找到一个最理想的搭帐篷的地方。

马鸣加高兴地说："噢！我们要在月亮下面、星星下面睡觉喽！噢！我们要在野外睡帐篷喽！"

周密马上说："不是野外，野外要有山，有河的！"

马鸣加立即反击："只要心里想着是野外就行！"

可事情偏偏就是这么不凑巧，当马鸣加、丁转转、张耀明他们三个在操场的正前方、也就是领操台的旁边刚刚把他们三顶不同颜色的帐篷搭起来的时候，天上"啪嗒啪嗒"下起了小雨，而且越下越密，好像是在故意捣蛋一样。

老师立刻下命令："请同学们把帐篷都搭到走廊里去！"

"我恨死下雨了！"马鸣加一边收帐篷一边大叫。

丁转转和张耀明也很不开心。丁转转还张大嘴巴去接雨："我要把雨水都喝光！"

后来他们只好把帐篷搭在走廊里、也就是他们教室的门

口。当他们各自钻进自己的帐篷以后就又兴奋起来,隔着帐篷互相哇啦哇啦叫喊,还用手贴在帐篷上做出各种各样吓唬人的黑影子,把从边上经过的女同学吓得跟见鬼似的大声尖叫。这样玩够了,他们又一起挤到马鸣加的帐篷里,在里面发出各种野兽的恐怖大叫声,叫完了就咯咯笑个不停,他们觉得这样子实在是太好玩了!好玩得一辈子都忘不了!

后来当然被老师给疏散了开来。再后来就不知道是谁先睡着的了。

马鸣加可没睡着,他是气得睡不着,这天为什么早不下雨、晚不下雨偏要在今天晚上他们夏令营的时候下雨?现在把帐篷搭在走廊里就等于还是在房子里,就根本不能算是真正地住在帐篷里!

马鸣加这么想着想着,就又爬起来,想看看外面的雨有没有停。呀!雨停了!是真的停了!那令人心烦的"啪嗒啪嗒"声不知在什么时候已经没有了!

"啊!雨停了!"马鸣加高兴地叫起来,可他从帐篷的窗口里伸出头去左右看看,却没有任何回应,只见走廊里所有的帐篷都是静悄悄的,马鸣加再看从乌云里漏出来的月亮已经

爬得很高了：原来这会儿大家早已经睡着了。

马鸣加决定把自己的帐篷搬回到操场上去。

马鸣加悄悄地把帐篷搭在刚才选好的领操台的边上。

马鸣加非常得意地钻进帐篷里。

哈哈！等到明天大家醒过来，肯定要羡慕死了马鸣加，因为只有马鸣加是住在"野外"的……马鸣加这么快活地想着，又把头伸出去想看看夜景，却意外地发现外面暗得什么也看不见了，真奇怪！他再赶快抬头看刚才的月亮，月亮也早不知跑到哪儿去了。

忽然"咣"一声，天上划过一条蛇一般的闪电，还没等马鸣加明白过来，一阵雷声轰隆隆从头上滚过去，把马鸣加吓得"哇哇"大哭起来。可这哭声哪有雷声响，谁也听不见。马鸣加只好顶着自己的枕头从帐篷里跑出来，就近躲进领操台对面的旗室里。

第二天早晨天特别好，当丁转转和张耀明从各自的帐篷里出来时，却发现少掉了马鸣加的绿帐篷，终于在操场上找到了，里面却没有马鸣加！

"真是太奇怪了！"老师着急地说。

后来有一个三年级的升旗手在旗室里大喊大叫："这儿有个人！这儿有个人！"等大家跑过去时，只见马鸣加揉着眼睛走出来了。

"马鸣加你怎么回事？"老师问。

"马鸣加一定有夜游症！"有几个同学笑着说。

可马鸣加却突然哭起来，哭得很伤心，一直哭回到家里。

妈妈仔细问，马鸣加才哭着说："我昨晚根本就没在帐篷里住过……"马鸣加哭得说不下去了。

后来爸爸妈妈决定让马鸣加在自己家的阳台上搭起帐篷补住一夜，马鸣加才不哭了，笑了。

"胆小鬼"将军

在操场的双杠旁边,有一棵歪脖子大树,大树很粗,它的树干也比得上一个一百公斤的大胖子的腰身。歪脖子大树正好歪向双杠,这样同学只要爬上双杠,就能轻松地跨上大树,像骑千里马一样神气地骑在上面,而大树的枝叶很茂盛,人骑在上面老师根本看不见。

就因为这匹威武的"千里马",一下课男生就爱往那儿跑,你争我抢地往双杠上爬,往大树上骑。马鸣加已经连续好

你还不下来？小心尿裤子！

几天没有抢到"千里马"了,抢不到的人只能像小兵一样朝上仰着头,耐心等待着大将军下马。

不过今天真好运, 第一节下课的时候马鸣加没去小便,于是就抢到了千里马,周密气得要死,在树下仰着头说:"你还不下来? 小心尿裤子! "

"你才尿裤子呢! "马鸣加就不下来,还用双手做成望远镜四处瞭望,一会儿说看见了隐形飞机,一会儿说看见了外星人。

"净吹牛! "周密忿忿地说,"是隐形飞机就根本看不见! "

"哼! 我的望远镜就是专门用来看隐形飞机的! "马鸣加因为一个不留神被抓住了把柄,心里有些生气。

"你总可以下来让别人骑一骑吧? "周密为了早点上树,就换了一种口气说。

"你要对我说'报告,大将军'我就下来让你骑。"马鸣加有了惩罚周密的机会,可以好好惩罚他一下了。可奇怪的是没等周密说"报告大将军",马鸣加就自己飞速下来直奔教室去了。

"他怎么了? 看见鬼了? 瞧他吓成这样! "周密爬上双杠

一边往大树上跨，一边扭头好奇地看着马鸣加奔跑的背影。可周密刚上树，第二节上课的音乐声就响起来了。

马鸣加直跑进教室，坐在位子上一动不动，眼睛死死盯住教室敞开的门，好像在等什么可怕的人，又好像在等什么可怕的事。一会儿老师进来了，只见她身后跟着走进来四个白色的魔鬼——四个背着医药箱、穿着白大褂、戴着白帽子和白口罩的医生。

真没有想到他们第一个就跑到我们教室里来了。大概他们刚才看见我吓跑的样子了,所以就跟进来了……马鸣加一边想,一边咬着嘴唇,把嘴唇咬得发白了还在咬。

老师说:"现在先打预防针,请大家准备好。"教室里顿时一片叽喳声。

老师又说:"是男生先打还是女生先打?"

这一问教室里简直炸开了锅,女生说男生先打,男生说女生先打……

老师拍一下巴掌说:"男生是男子汉嘛!"

马鸣加立刻说:"女生是女子汉!"

后来是张耀明带头上去了,男生只好一个一个跟上去打。

马鸣加总在往后让:中途他好几次退回到座位上去拿水喝,还两次跑出教室,一会儿说小便,一会儿说洗手……直让到最后一个,看他急得双脚来回直动,真恨不得钻到地底下去。就在他差不多要哭出来的时候,不知怎么搞的女生忽然一拥而上,挡在了马鸣加和医生之间,马鸣加乘机一个闪身,急忙回到座位上,尽量缩紧身体,尽量一动不动,尽量连呼吸

都不出声音……总之尽量不引起任何人对他的注意!

好了,这下不用担心了,看女生们很有次序地一个接着一个打,马鸣加心里顿时轻松得好像就要飞起来了!

可等女生打完以后,医生忽然说:"怎么多出来一针? 是谁漏打了? "

马鸣加又缩紧身体,一动不动,他想只要没人回答,医生就会走掉的。可、可根本不是这样,这个讨厌的鸡蛋头医生又说:"我要检查! "没想到他一说完,竟笔直走到马鸣加的面前,"请把你的胳臂让我看一下。"

"不!"马鸣加坚决地说,把双臂藏到身后,眼睛不看鸡蛋头,他恨死这个鸡蛋头了! 谁叫他这么快就发现了马鸣加没打过针!

这时同学们齐声叫起来:"胆小鬼! 胆小鬼! 马鸣加是胆小鬼! "周密叫得特别响,还加了一句"胆小鬼将军"!

此时此刻的马鸣加只管抱紧自己的手臂,任同学笑话他、讽刺他,真是做到了打不还手、骂不还口,只要不打预防针。后来是体育老师进来帮忙,才像抓贼一样按住马鸣加,把他的手臂抽出来,马鸣加身体动不了,可嘴巴还能动,他杀猪

一样地大叫,最后实在是逃脱不了了,才终于哭着对医生说了这么两句话:

"医生你要、要挑、挑一根最小最小的针……"

"医生你、你不要扎、扎在上一次的那个洞洞里……"

马鸣加说完这两句话,才万分绝望地看医生把针扎进了他的胳膊里。

马鸣加回到座位上就不哭了,尽管他的眼睛跟鼻子还是红红的。下课了马鸣加像往常一样冲出教室,只是他在走廊里忽然停住哈哈大笑起来,然后就直往隔壁教室跑——原来马鸣加看见四个可怕的医生走进了二(2)班的教室。这会儿的马鸣加早已经忘记自己刚才的遭遇,把脸贴在二(2)班教室的窗玻璃上,鼻子挤得跟丑八怪似的,冲里面大声叫着:"噢!噢!打预防针喽!打预防针喽!"他这么叫着还嫌不过瘾,又转身将二(2)班还没进教室的同学一个一个硬推进去……

我要参加打架组

最近，马鸣加的拳头老痒痒，看见什么就打什么。比如在学校里，他看见同学的书包就打一拳，看见操场边的冬青树也会打一拳。在家里就更不用说，看见沙发打一拳，看见枕头打一拳，就连看见爸爸耷拉着皮带的大肚子，马鸣加也会忍不住打一拳。

"好像谁在我的手臂里偷偷安装了弹簧，我知也不知道就打出去了！"马鸣加这样解释道。

非常小子马鸣加

我要参加打架组！

学校里要开办兴趣小组了，马鸣加大喊大叫："我要参加打架组！我要参加打架组！"结果他找了半天也没找到，只有电脑组、书法组、舞蹈组、唱歌组、图画组什么的。

回到家里，马鸣加生气地说校长一点也不了解男生的兴趣爱好。后来爸爸对马鸣加说："我送你到少年宫的武术班去学武术吧！"

"好的，太棒了！还是爸爸了解男生。"马鸣加的脸简直笑成了一朵花，他情不自禁地握起拳头，对着镜子"刷！刷！刷"又空打了一阵子。

第二天是星期六，爸爸就带马鸣加去了。

这个武术班的老师看起来个头不高，可他的两条手臂合

起来,差不多比马鸣加的腰身还要粗。瞧,他撩起袖子指着自己手臂上鼓起来的、硬邦邦的肌肉说:"这叫大头肌,这叫二头肌,这叫三头肌……"还有这样称呼肌肉的? 马鸣加第一回听说,他觉得新鲜极了!

我一定要把大头肌、二头肌和三头肌全都练出来,成为我们班最棒、最厉害的男生! 马鸣加兴奋地想着,好像已经看见自己像武术老师一样的威风凛凛。

一堂课很快就结束了,马鸣加还没过瘾呢! 他只好回到家以后,自己再对着镜子练了好一会。

妈妈说:"马鸣加在学习上有这股劲就好了!"

爸爸说:"等马鸣加长大了,会把这股劲用到学习上去的!"

马鸣加说:"烦死了! 你们随便讲什么事情都要和学习挂钩!"他生气了,不练了,回屋里睡觉去了。

终于又到了星期六,一吃过早饭马鸣加就催着和爸爸早早地来到了少年宫。今天武术老师教大家练的是蹲马步,就是前腿弯曲,后腿伸直,那样紧绷绷地一动不动,好像是一尊雕塑。马鸣加蹲了一会儿就觉得腿发酸,酸死了,酸得要命,酸得蹲不住了,酸得终于"扑通"一声倒在地上,可他眉头没皱一下就立刻爬起来又变成了一尊雕塑。这堂课结束的时候,武术老师表扬马鸣加,说他"很有毅力"。不过这天回家的路上马鸣加再也没有毅力了,他腿酸得走不了,只能让爸爸背了一小会儿。

第三个星期,武术老师教的正是马鸣加最想学的——如何出拳,老师边做边说:"虚步挑拳、并步抱拳……"马鸣加学得可带劲哩,一边学心里一边想,下星期一上学可以在丁转转面前露一手了……这天回家的时候,马鸣加一路学着老师的话,一路做着老师刚教的动作,不知不觉就到家了。

马鸣加在学校里表演给丁转转看的时候,好些男生都围了过来,他们羡慕死了:

"马鸣加,你有武功啦?"

"马鸣加,是谁教你的?"

"马鸣加,教我几招吧!"

……

马鸣加埋头表演着,出了一身臭汗。

上课了,马鸣加在座位上用垫板吧嗒吧嗒地用力扇着,

老师进来看见了说:"马鸣加你又去哪儿疯跑过了?"马鸣加直笑,同学们也直笑。

这天下午第一组做值日生的时候,两个高年级男生冲进教室抢走了他们的拖把,当值日生们追出去时,那两个高年级男生竟威风地停下来,双手像舞剑似的挥动着脏兮兮的拖把,就是不还给他们。低年级的哪敢再冲上去,正气得咬牙切齿的时候马鸣加冲了过来,只见他嘴里大喊着"弹踢冲拳"紧跟着飞起来一拳,就把拖把打落在地。两个高年级男生一愣,说了一句:"这小子会武功!"吓得转身跑没了影。

"马鸣加!真棒!马鸣加!真棒!"值日生们高兴极了,就好像是他们打败了高年级男生,心中和马鸣加一样地充满了骄傲和喜悦。

第二天男生们都去问马鸣加是在哪儿学的武术。

原来男生们的爸爸妈妈、爷爷奶奶、外公外婆听说了马鸣加一人打败两个高年级男生的事,都想送自己的儿子、孙子也去学一招。"倒不是为了打架,我更担心现在的男孩会变成娘娘腔!"丁转转的球星外公这么说。

后来班主任老师知道了这件事情,就向校长建议在兴趣

两个高年级男生一愣，说
了一句："这小子会武功！"

弹踢冲拳

小组中再加一个武术组。校长很快同意了。结果学校的武术组一下开出来三个班，因为报名参加的人实在太多了，因为男生们都想成为马鸣加那样的真正的男子汉！而且后来还有三个女生也报了名呢。

自从学了武术，马鸣加的拳头再也没有碰过书包、冬青树，再也没有打过沙发、枕头以及爸爸的肚子。

"好像谁在我的手臂里偷偷拿掉了弹簧，我知也不知道就打不出去了！"马鸣加又这样解释道。

"绑架"天牛

　　太奇怪了,上课的音乐声还没有响起来哩,马鸣加就从教室外面冲了进来,平时他可是都要等到老师即将进教室的时候,才突然从后面蹿到前面,匆匆忙忙飞奔进教室的。"看啊!我捉到一只天牛!我捉到一只天牛!"他举着右手欣喜若狂地说,吓得女生们尖叫着朝两边散开,让出一条路来;男生们则全围了上去,把路给死死地堵住了。

　　"给我看看!"

"在哪儿抓到的？"

男生们大多只在百科书上见过天牛，所以都惊喜得很。陆军主动找出一只空的酸奶盒，让马鸣加把天牛放进去。

"我看见它从树上飞下来，"马鸣加激动地说，"就悄悄逮住了它。"

"大概天太热，它口渴了。"丁转转说着想往瓶里倒点水，

马鸣加吓得急忙挪开。

这时周密进来看见了说："好啊，天牛是益虫，你绑架益虫，我要打110报警！"大家都笑起来。

马鸣加笑过了说："现在昆虫不分益虫害虫，都是我们的朋友！"

"那你为什么要抓我们的朋友？"周密问。

"我……我不是抓,我、我是想帮助它……"马鸣加好像回答不上来了。

上课了,同学们都回到自己的座位上坐好。马鸣加把装有天牛的酸奶盒放在桌子上,然后拿出一张纸在上面扎几个洞盖住盒子口。

也许是因为今天教室里多出来一位新成员——天牛,所以同学们上课的时候都很不安心,男生老是回头看,想知道天牛此时正在干什么;女生老是回头瞧,很担心天牛会爬出来落在她们的头发上和脚上。马鸣加的眼睛更是没有离开过酸奶盒,心里一直在琢磨着回家以后把天牛养在什么地方。

"你们今天怎么了?老回头看什么?"老师终于发现了,她把大队长喊起来问,大队长只好指了指马鸣加的桌子,老师就走过去了。

"马鸣加,把天牛先放在我的讲台上,下课后你再拿走好吗?"老师这样说,马鸣加很高兴地点点头。天牛就这样被放到了讲台上。

一开始32个同学都看着讲台,后来就越来越少了,再后

43

来只有马鸣加一个人看,再后来就没有人看了,大家都看黑板,听老师讲哪个字属于半包围结构、哪个字属于全包围结构。马鸣加一下子就想出了四个全包围结构的字:圆、园、图、国。他连忙举手回答老师,老师表扬了马鸣加。

忽然下课的音乐声响起来了,马鸣加一下子想起天牛就冲向讲台:咦?那张扎过洞的纸怎么滑落下来了?啊!天牛不见了!

女生们一听又一窝蜂拥出教室,急得马鸣加直叫:"小心脚下!别踩死了天牛!谁踩死了就枪毙谁!"

男生们大叫着:"封锁!封锁!赶快封锁教室!"等女生都跑光了,男生就关上门和窗,不让天牛飞走。

"都站到凳子上去!"马鸣加又喊起来,男生们都赶紧站了上去,他们一个个伸长脖子,睁大眼睛,四处寻找,都希望自己能第一个发现天牛……

"在这儿呢!"丁转转指着窗台那儿忽然大声叫起来,马鸣加一个箭步冲过去,果然看见天牛在斑斑驳驳的窗台上犹疑地爬行着。

"它想去哪儿?"

"它一定想回到大树上去！"

"它不想跟你回家！"

"你又不是天牛的爸爸，你不能带天牛回家！"

……

男生们一个一个说，好像他们都不愿意马鸣加把天牛带回家。马鸣加听着，没吭声，过了一会他说："我会把它放到我家门前的大树上……这样万一它渴了或者饿了，我可以给它吃东西呀！"马鸣加说着拿起了天牛。

放学了，马鸣加在学校里的小树上摘了几片嫩叶放进酸奶盒，看见天牛爬过去吃了，他才放心地拿着酸奶盒一蹦一跳地往家里跑去，跑到家门前那棵又大又高的银杏树前就停下了。马鸣加朝身后看看，希望有哪个同学跟着一起来，可惜没有，否则他就能看到马鸣加没有撒谎。

起先马鸣加想把天牛拿出来放到树上去，可他又觉得这样不好，不放心，万一天牛又从树上飞下来怎么办？万一当时马鸣加已经回家了怎么办？万一天牛给一个坏人捡到了怎么办？他肯定会把天牛拿回家关进笼子里，笼子、笼子也是全包围结构的……想到这儿马鸣加决定就连同酸奶盒一起挂在

树枝上,等到天牛有力气了或者想飞了,它自己会爬出来的。于是马鸣加找了一根细绳子,把酸奶盒绑在一个别人看不到的树杈的中间。

　　马鸣加这才安心地回家去,他想要是天牛一直住在酸奶盒里也挺不错的,他会天天给天牛送新鲜的嫩枝嫩叶,把天牛喂得大大的、肥肥的,说不定以后还可以成为基尼斯世界之最哩!一直到晚上睡觉,马鸣加都想着这件事情,想得笑眯眯的。

　　第二天马鸣加上学之前,先急急忙忙跑到银杏树那儿去看天牛,呀!酸奶盒里空空的,那只天牛已经不在了!马鸣加心里顿时有点难过起来,可他又一想,这只天牛飞走了,就一定会有更多的天牛飞回来的……

　　后来马鸣加还是每天都在银杏树上的酸奶盒里放上新鲜的嫩枝嫩叶。"天牛肯定还会来吃的!"马鸣加告诉同学。

第一和第二

今天上课之前,老师先报上个星期语文第一单元测验的分数,100分只有一个,是周密得的,马鸣加是第二名,97分。老师报完后就把卷子发下来让同学们订正。

马鸣加看着自己97分的卷子,心里不舒服,就是不舒服,因为他没有得到100分,而周密得到了,全班就一个,大家都朝他看,多神气呀!周密拿着100分的卷子故意站着,故意不坐下去,故意装出满不在乎的样子……马鸣加真是越看越生气,他前后颠着脑袋想着想着,忽然他也站起来了,他是向周密借 100 分的卷子看。这下周密更神气了,因为连从来不服他的马鸣加今天也居然向他借卷子,他便摆出很大方的样子把卷子丢给马鸣加。没想到马鸣加不是学习周密的卷子,而是要检查周密的卷子有没有批错的地方,只见他趴在桌子上很认真地一个字、一个字地检查起来:对的,对的,对的……马鸣加一边检查,一边心里默默地说,不舒服的感觉真是越来越强烈。就在马鸣加不打算看下去的时候,眼前忽然一亮:什么什么?"船要翻子"?应该是"船要翻了"!周密多写了一横。

"老师!你批错了!周密的看图写作文里有一个错别字!"马鸣加比淘金者发现了金矿还要兴奋。

老师接过马鸣加递上来的卷子一看,果然是这样,便拿起红笔把那个漂亮的 100 分划掉,改成 99 分。

周密拿到改过的卷子有些尴尬,又听前面一个男生说他"差点蒙混过关"就有点生气了,现在再看马鸣加那副幸灾乐祸的样子就更加生气。他斜眼盯着马鸣加,盯着盯着就忽然也跑过去拿起马鸣加的卷子,也回到座位上仔细地检查起

来。马鸣加隔着四排桌子对周密说："你检查吧,尽管检查,反
正我本来就不是 100 分……"说完,就噼里啪啦用很夸张的
声音收拾起铅笔盒来。

　　周密不仅检查每一个字、每一个标点符号,就连每个部
分的分数总和也检查是不是加得对。嗨,还真让周密给检查
出来了! 不过不是老师批错了,而是老师总分少加了 2 分,也
就是说马鸣加应该得 99 分。

　　要不要告诉马鸣加?要不要告诉老师?周密犹豫了,可他
觉得要是自己检查出来不告诉老师的话,那肯定也得不到老
师的表扬。周密还是很在乎得到老师的表扬的,于是他很不
情愿地告诉了马鸣加。

他很不情愿地告诉了马鸣加。

哈哈哈哈……马鸣加高兴死了,他拿着卷子赶紧追到老师办公室,等他返回时卷子上的 97 分真的改成了 99 分。

这下马鸣加心里不舒服的感觉是完全没有了,因为他和周密是并列第一名。

中午的班会上,老师特意表扬了周密和马鸣加,说他们很仔细、很认真。老师还说周密很大度,很有男子汉的风格。

马鸣加不仅得了并列第一名,还受到老师的表扬,心情就特别好,好到中午吃他最讨厌吃的胡萝卜片他也没说什么,就吃完了,好到下午体育课他们小组没有分到足球,只好打羽毛球他也乐呵呵的。他一直高兴到放学,一直高兴到家里,一直高兴到告诉妈妈。

可妈妈听完并不像马鸣加那么高兴:"你怎么可以这样对待比你考得好的同学?"

"他是写错了嘛,当然不能得 100 分!"马鸣加因为妈妈的不高兴也不高兴起来。

"你不是因为他写错了,你是因为他得了 100 分,所以才这么做的!"妈妈盯着马鸣加的眼睛说。

"老师还表扬我细心呢,只有你这么说我!"马鸣加不看

妈妈。

"那你怎么不去检查其他同学的卷子？"妈妈紧跟着说。

"哼！不跟你说了！"马鸣加很生气地转身走进自己的小屋。

过了一个月，老师又报语文第二单元的测验分数，这次也只有一个 100 分，是马鸣加得的，当马鸣加拿到卷子时心里刚刚有一点点高兴，就被周密的哭声给完全驱赶掉了。

"呜呜呜，我妈妈说这次再得不到 100 分就不带我到香港迪斯尼去玩了……呜呜呜……"周密这次得了 95 分。

马鸣加看着周密，他担心周密也会跑来检查自己的卷子，便自己先偷偷地检查起来，可不知为什么，思想总也集中不起来，总在想着上一次自己检查周密卷子的事情……想着想着，他不由得用一只手掌盖住了那个有点刺眼的 100 分。不过周密并没有来检查，一直到放学他也没有来看过马鸣加的卷子。

这一天，马鸣加没有像往常得了 100 分那么高兴，相反的心里好像有一团东西堵在那儿，总也不让高兴的劲儿蹿上来。那团东西是什么呢？马鸣加也说不清楚，只是觉得与周密

55

有关。

就这样马鸣加回到家里。

"得了100分为什么还不高兴呀？"妈妈很奇怪。

马鸣加起先没回答,过了一会儿才吞吞吐吐地说:"周密今天哭了……"

"为什么？是考得不好吗？"妈妈问。

"是……哎呀,不想说了！"马鸣加又像上次那样走进自己的小屋。

第二天,马鸣加到学校一看到周密就对他说:"香港迪斯尼是幼儿园小弟弟小妹妹玩的,我们要去就去美国迪斯尼！"

周密先愣一下,然后笑了,说:"最好我们一起去！"

马鸣加也笑了,他用力地点点头。

真·人变假人

今天第三节明明是体育课,可班主任夏老师却拿着语文书和语文练习本走进了教室。马鸣加忍不住说:"夏老师,你走错教室了!"

夏老师把书和本子放到讲台上以后才说:"体育老师有事请假,这周的体育课和体锻课全部改上语文课。"

什么什么?没有搞错吧?马鸣加"哗啦"打开铅笔盒,看盖子里面贴着的课程表:一、二、三、四、五。一共有五节呢,全部用来上语文课，不要上死人啦！

　　是男生一年四季都最喜欢上体育课和体锻课：冬天上着上着就会暖和起来；夏天上着上着就会忘记了热；春天和秋天就别提有多开心，最好一整天都上体育课！下雨下雪天上体育课也很开心，体育老师会带大家到大礼堂去上：跳山羊呀，拔河呀，跳绳呀，翻空心跟头呀等等，也都非常带劲！还有他们的体育老师也让同学们特别喜欢。马鸣加曾经总结说："第一他是男的，那就最符合做体育老师；第二他不老，那也最符合做体育老师；第三他很有耐心，这也符合做体育老师；第四他有童心，这是最最最最符合做体育老师的！"

　　可是……可是现在体育老师请假了！

　　下课以后，马鸣加从别班同学那儿听说，体育老师其实不是有事，而是结婚，所以请假了。马鸣加立刻去告诉丁转转："体育老师是结婚了，所以请假。"

　　丁转转不相信："体育老师也结婚吗？"

　　马鸣加提醒说："那你外公是足球运动员，他不也结婚了吗？"

　　丁转转想了想，说："那我外公不是体育老师呵！"

"我看差不多。"马鸣加说完去上厕所了。

这天因为没上体育课，马鸣加放学以后也不觉得累，浑身的劲憋得难受，所以他没急着回家，而是朝一条没走过的小路走去，好像是走走玩玩，又好像是去把力气用掉一些。当马鸣加沿着小路向右拐的时候，一抬头却意外看见一个熟悉的身影，那身影就在前面三楼带玻璃窗的阳台上，那身影是在浇花，穿着那件平时一直穿的蓝白双色的运动衫……

是体育老师！原来他家住在这儿！

这个重大发现让马鸣加万分吃惊，他赶紧转身往学校里跑，说不定丁转转还在，他一定会和马鸣加一起来看的！可学校已经关上了大铁门，谁也找不到了，马鸣加再回到刚才的地方，体育老师也已经不见了。

第二天，马鸣加特别早地来到学校，看见丁转转就悄悄告诉了他。

"真的吗？你没看错？"丁转转也很吃惊，马鸣加认真地点头。

"今天放学我们一起去！"丁转转果然这么说。

一放学马鸣加和丁转转就往那条小路上冲。

"就在三楼的那个阳台上！"还没拐弯，马鸣加就急切地说。

"没有嘛！"丁转转一拐弯就停住，看着那个空空的阳台失望地说。

"也许出去了，我们等一会儿。"马鸣加很有信心。

就在他们等得不耐烦的时候，忽然看见一个一身衣服很新、系着红领带的人直朝他们走过来："马鸣加！丁转转！你们怎么在这儿？"

这人竟认识他们俩！

马鸣加愣了愣，但很快认出来这就是他们的体育老师，可他没喊老师，因为……因为马鸣加刹那间觉得眼前这个人已经不像他们原来的体育老师了！他不像会用手臂让马鸣加荡秋千的那个体育老师；他不像会把胸前的哨子吹得震天响的那个体育老师；他不像会快速坐在地上、快速站起来都不需要手帮忙的那个体育老师……眼前这个人让马鸣加觉得陌生，不喜欢，那油光光的头发和那身崭新的西装让马鸣加联想到放在橱窗里的假人……

"怎么？不认识我了？"体育老师拉拉自己的黑西装，显出

有点难为情的样子。

"哦,我结婚了,请你们吃糖!"老师从口袋里拿出两盒心形的喜糖给他们。

丁转转接过糖说:"谢谢老师!"

马鸣加没说,不知道是忘了还是不愿意说。就连转身回家了,他也没跟体育老师说"再见",这太不像马鸣加了!

回到家里,马鸣加把喜糖交给妈妈,然后说:"我不想长大!"

妈妈很奇怪,问:"为什么?"

"就算长大了我也不想结婚!"马鸣加一脸很不开心的样子。

妈妈着急起来,摸摸马鸣加的额头,以为马鸣加在发烧说胡话呢!可马鸣加推开妈妈的手继续往下说:"结婚会把真

怎么？不认识我了？

人变成假人！"

"你、你今天到底怎么了？碰到过什么人？出什么事了？"妈妈真的越来越紧张，因为昨天晚上的电视新闻里，刚刚播出过不明飞行物以及外星人等奇特事件，马鸣加是否在放学的路上遇到了……

没等妈妈想下去，只听马鸣加又叹了一口气说："不知道他下个星期还会变成原来的体育老师吗？"

下个星期很快就到了。

这天当第二节课上课的音乐响起，马鸣加的双眼越过教室的窗台，从长长的走廊里看见了那顶非常熟悉的雪白的运动帽慢慢露出来、慢慢靠近时，他所有的担心都变成了高兴，竟忍不住在座位上跳起来，向前伸出双手大叫："冲啊！冲啊！哒哒哒哒……"

匿 名 信

马鸣加已经好几次发现，班主任夏老师有重女轻男的表现。比如每次打预防针和补牙，她都要男生先来；而每个星期三吃罗宋汤面包，她都请女生先上去拿；还有好几次抄写生词，她都让女生抄得比男生少，少很多呢！

今天夏老师又包庇女生了！

"为什么女生要少抄？"马鸣加不服气地问。

可夏老师不是回答"今天女生纪律比男生好"，就是说"女生默写都得优"。

马鸣加悄悄看旁边刘纤纤的本子,一下就看见了一个大大的"优",就连刘纤纤都默写得出,别的女生也就不用说了。可马鸣加还是要说:"那我也默写出来了呀,我也得优呀,你为什么还让我抄那么多?"

老师说:"因为大多数男生都没有默写出来,只好委屈你同他们一样。"停一下又说,"希望你能多多帮助和督促其他男生,不要只管自己。"

马鸣加真是气死了!我偏不管!我又不是男生的爸爸!

回家的路上,马鸣加一直生气地想着这件事情,想着想着,他忽然有了主意:我来给老师写一封匿名信。

妈妈听了说:"你要向老师提意见就提呗,干吗要写匿名信?"

马鸣加说:"我觉得写匿名信好玩,可以让老师像猜谜语似的猜呀,猜呀……"说到这儿马鸣加好像已经看见老师拿着匿名信、皱着眉头猜的样子……哦,不对,老师认得出笔迹,那怎么办?对,让爸爸帮忙打印出来,哈哈!这下老师准猜不出!

匿名信

马鸣加这样想着，原先生气的事情就变成了高兴的事情，他连忙摊开纸写起来：夏老师，你为什么总是包庇女生？这行字让爸爸打印出来以后，马鸣加怎么看也看不出是谁的笔迹了，真棒！

第二天，马鸣加很早就来到学校，既然是匿名信嘛，就不能让老师看见，也不能让同学看见，要是看见了，就不是匿名信了。他跟做贼似的把匿名信悄悄放到老师的办公桌上，然后迅速离开。

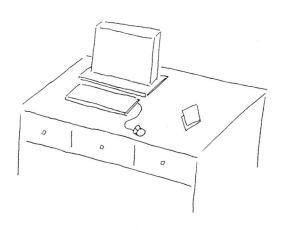

　　马鸣加回到教室里以后，心里真是又紧张又开心，他一个人坐在空空的教室里，也不出去玩，后来丁转转来了，给他看一本新出的《奥特曼》，他胡乱翻一下就还给了丁转转：此时此刻马鸣加哪有心思看书？那封匿名信是不是已经到了老师的手中？

　　上课的音乐终于响起来了，夏老师终于走进了教室。奇怪，真是奇怪！马鸣加只感觉自己的胸口跟打鼓一样"咚咚"跳起来，他连忙用手按住，可反而越跳越厉害了。

　　"请大家把书翻到第 25 页，我们今天教古诗《送兄》……"老师怎么好像没有收到匿名信呀？马鸣加偷偷看了老师一眼，老师好像真的没有收到匿名信！这下马鸣加着急了：

　　会不会被风吹走了？

　　会不会让擦桌子的阿姨擦掉了？

　　会不会是旁边的老师拿错了？

　　会不会……

　　"马鸣加！思想集中！请你站起来把这首古诗念一遍！"老师忽然点名，马鸣加只好站起来大声念：

匿 名 信

送兄

七岁女子

别路云初起，

离亭叶正稀。

所嗟人异雁，

不作一行飞。

念完坐下来以后，马鸣加更不安心了。

一下课，马鸣加就在办公室门口转，他看见班主任一会儿站起来倒水，一会儿接听手机，一会儿翻抽屉，就是没有看见她拿着匿名信、皱起眉头猜的样子。

"马鸣加，你找我有事吗？"老师忽然探出头问，马鸣加连忙摇摇头就回到教室里去了。

第二、第三、第四节下课，马鸣加都在办公室门口转。丁转转跑来问："你热啊？"因为老师办公室里有空调，站在门口也吹得到的。

"不是。"马鸣加一边回答，一边只好走开。

终于到了下午放学的时间，夏老师既没有到教室里来说

匿名信的事情，也没有到同学们中间去问匿名信的事情。马鸣加断定夏老师肯定没有收到匿名信，于是他决定去问班主任老师。

没想到夏老师听了"哈哈"大笑起来，说："原来是你这个小捣蛋写的呀！"

马鸣加顿时明白：原来老师是故意不说，故意不问，好让写匿名信的人自投罗网呀！这天回家的路上，马鸣加垂头丧气的，因为由匿名信引发出来的事情一点也没有马鸣加想像中那么好玩、那么有趣，相反，自己是那么傻，哪有写匿名信的人自己把自己说出来的呀！

不过第二天马鸣加也收到了一封打印出来的匿名信，信写得比马鸣加写的还要长一些呢：马鸣加，老师喜欢女生和喜欢男生的方式是不一样的，因为你们是不一样的；老师不会包庇女生，也不会包庇男生。

马鸣加看完后一下就猜出来写匿名信的人就是夏老师。

马鸣加觉得自己真聪明！

马鸣加得意极了！

马 氏牛顿

马 氏牛顿

吃过饭午休的时候,老师被喊去接听一个电话,这下教室里热闹起来,原先趴在桌子上的脑袋都一个一个抬起来了,当然主要是男生,好像他们早就憋得难受死了。马鸣加自然是第一个抬头、第一个大声说话的人:"嘿,告诉大家一个重要消息,我昨天在家发现了'分散定律',一袋米会下沉,一粒米就会浮起来!"

周密在后面角落里的位子上说:"这个叫'浮力'定律,牛顿早就发现了！"

马鸣加一听，立刻站起来拍一下桌子说："我恨死牛顿了！最好世界上少出一些名人！"然后"咚"地坐下去。

陆军在另一个角落里笑着说："别人已经成名人了！轮不到你啦！"

马鸣加又站起来大声说："我还想杀了爱因斯坦,好多定律都被他发现了！"

　　周密冲过去用手摁住马鸣加:"我爸说爱因斯坦是犹太人,你想杀犹太人吗? 好,我要去报告联合国,我们学校出了一个小希特勒!"周密一说完,好几个男生都冲过去揪马鸣加,马鸣加笑着左右躲闪,可根本不行,他只好一猫腰逃出座位,朝过道里跑,结果和正走进教室的夏老师撞了个满怀。

　　"是他们来抓我的!"马鸣加先对老师说。

　　"是马鸣加第一个说话,他说要杀死爱因斯坦……"有同学向老师揭发马鸣加。

　　老师只对马鸣加说了五个字:"到办公室去!"马鸣加立刻哭起来,然后慢吞吞地走出教室。

　　办公室里正好没有老师,马鸣加哭不出来了,因为没人看呀! 他靠墙站着,东看看,西瞧瞧,便注意起窗台上的一盆水仙花来。马鸣加用手指头碰碰里面漂亮的鹅卵石,又摸摸水仙花头发似的根须……整整一节课马鸣加都在看这盆水仙花,他好像是看傻掉了,又好像是看出了什么秘密。

　　"怎么? 我是请你到办公室来欣赏水仙花的吗?"夏老师走进来马鸣加都不知道,他赶紧不看水仙花,看着夏老师。

　　"你知道遵守课堂纪律吗?"夏老师问,马鸣加点点头。

　　“那你为什么要随便乱跑？”夏老师又问，马鸣加又点点头。

　　夏老师生气了，提高声音说：“我在跟你谈话，你在想什么？”

　　马鸣加愣了一下，傻傻地看着老师，这

回没点头也没摇头。

最后夏老师说:"今天下午语文单元测验,你考到98分以上我就原谅你了,要是你考不到,我就要打电话喊你妈妈来,把你最近干的所有的坏事都告诉她!"

老师说完终于把马鸣加放走了。

马鸣加一走出办公室,丁转转、陆军、周密等好几个男生就围了上去:

"老师罚你抄几遍课文?"

"你中间漏抄老师不会发现的!"

……

马鸣加好像没听见这些话,他从丁转转手里拿过矿泉水瓶打开喝了一口说:"我又发现动物是由植物进化来的,动物身上的毛发就是植物的根须;人头上有头发,那也是植物的根须,说明人也是进化来的……"

这回大家听得可认真哩,周密忍不住插嘴道:"你的意思是人可以用倒立的方法吃饭?"

因为有同学听懂了,马鸣加一下兴奋起来:"对啊,把头发浸在水里,就像水仙花那样,水中的微量元素就可以代替

饭,被头发吸收进去!"

"你们还围在这儿干什么?"夏老师忽然走出来,把大家吓了一大跳,"都给我进教室复习语文去。你们几个听着,都必须考到 95 分以上,否则我就取消你们踢足球的资格!"

"知道了!知道了!"男生们一边答应着,一边跑进教室里去了。

这天最后一节语文单元测验,小作文的题目是《假如我是科学家……》。马鸣加一看这个题目真是高兴得又差点站起来,还好他硬是用屁股坐住了。他拿起笔先写起了作文:"假如我是科学家,我就要发明一种很小的药片,让人一天吃一粒就可以不吃饭,或者把药片化在水中,用它来洗头发,药片的营养也会从头发进入人的身体,就像水仙花的根须会从水中吸收营养、大树的根须会从土地吸收营养一样,这样我们就可以不买菜、不烧饭、不洗碗,就能省出更多的时间去玩,多开心呀!我就能成为马氏牛顿和马氏爱因斯坦了……"马鸣加一口气就把作文写完了,写完了他就交上去了,结果被老师狠狠地瞪了一眼,马鸣加还不明白这是怎么一回事呢,就站在讲台前低头看看自己手里的卷子,结果发现卷子上空空的,原来别的题目都忘记做了!马鸣加脸都吓红了,他拍了一下自己的脑袋,急忙回到座位上重新做起来……

不过在第二天讲评卷子的时候,老师还是表扬了马鸣加写的作文,说他写得很有想像力,很棒,还说这与马鸣加平时的广泛阅读是分不开的,希望大家下课以后都去看看马鸣加的这篇作文。马鸣加真是听得心花怒放,真希望此时此刻能多多地延长,希望老师能一直讲下去。老师好像懂得马鸣加的心思,她确实没有停下来,又继续说道:"马氏牛顿,要是你真的发明了这种药片,我是不敢买来吃的,因为你太粗心了,说不定药片中漏放了最重要的什么营养素,把我吃成了一个大怪物……"

全班同学听了都笑起来,只有马鸣加没笑,他是真的笑不出来。

非凡的马鸣加

刘绪源

凡学过现代文学史的人,大抵都知道"含泪的批评家"不是一个褒义词。虽然批评家不可能回避自己感情的波动,但批评不能靠煽情,更不能靠矫情的渲染来取代理性分析,这是没有疑义的。可是,当我读到郑春华的"非常小子马鸣加"系列时,鼻子一次次发酸,眼圈一再泛红,想忍也忍不住。我竭力让自己冷静下来。我提醒自己,这里没有什么强烈的故事,这都是些平平常常的生活细节,可还是止不住地感动。我觉得,我有必要破解这个秘密。

我也不喜欢近年来忽然变得很时兴的讲故事式的批评,有时一篇评论大半篇都在讲故事,而且其实只是在抄录故事,找不出多少批评的成分(这倒有点像我前几年从事的工作:"新书摘")。可是现在,我忍不住也要讲讲刚刚看来的马鸣加的故事,因为我很希望能有人共享,并一同来破解此中的奥秘。

马鸣加的妈妈出国去了,马鸣加上学时还没什么,每天下午一出校门就有些不对头,脑子里想做的事情全跑光了,跑来的全是妈妈:妈妈在阳台上等他的样子,妈妈拖他去洗手间的样子……回到家孤零零一个人，要自己拿钥匙开门，自己找吃的。更可恨的是爸爸每天都下面条，什么盖浇面、鸡蛋面、大排面，吃得他肚里老是黏糊糊一团。每天还要自己洗碗，自己洗澡，自己铺床，第一两天觉得挺好玩，到第四天就觉得烦了。晚上躺在床上，他终于忍不住哭起来。爸爸发现后，答应周末带他去科技馆。周末一早他就醒了，可爸爸还要睡懒觉，好容易不睡了，走出了卫生间，又要接一个长长的电话……一个月后，妈妈要回家了，马鸣加接到电话高兴得要命："妈妈，你什么时候到？我去接你好吗？妈妈你给我带了什么礼物？妈妈我语文测验全班第一名。妈妈，我们楼下大门油漆过了，你回来别找不到哦……"要不是爸爸打断，他不知要说到什么时候。妈妈回来这天，他上课被老师点了十一次名，因为他老把语文书分开顶在头上；下课被同学揪到办公室三次，因为他总是拉住厕所的门不让同学出来。还有更反常的事，班主任的桌上出现了三个粉笔字：马妈归。走廊里也有这三个字，男厕所里也有，教室的黑板上、墙上、课桌椅上到处都有。"是马鸣加写的！""我看见他写的！""他还写在我的衣服上！"老师笑了："是妈妈今天要回来吗？"马鸣加点点头："我也不知道怎么会写了那么多。我下课的时候会去擦掉的。"后来，妈妈到学校来接他，这时还没下课，全班同学都朝妈妈看，还笑着拍起手来，只有马鸣加假装没看见，他要让大家知道：他可是不想妈妈的男子汉(《马妈归》)！

读着这样的作品，我只觉得美，童年的美，童心的美，儿童文学的美。我真的感到，一个作家，只要能写出两篇这样的作品，就该让人刮目相看，就再也无愧于作家的称号。在看了太多生编硬造而又被吹得天花乱坠的作品后，我对于读作品和评论作品，已渐生厌倦之心。但马鸣加的故事，又让我找回了读真正的儿童文学时的心灵享受，那种仿佛又回到童年似的安详和宁静,那种惟恐把什么东西打碎的拳拳的喜爱之心,这正是全世界儿童文学的独特的美,这是其他任何文学都难以取代的!

说了这么多,我居然并没有说出什么分析的话,作为一个批评者,这是失职的。可真的要说,竟又是那么困难。我想说,作者动用了一些不易被人发觉的小技巧,比如,每一篇都有一个小高潮,在高潮处把读者的情绪轻轻地推了推(譬如《马妈归》中到处都是马鸣加写的"马妈归")。但这不是主要的。主要的,在于作者动用了大量的细节,这都是生造不出来的,是要自己去观察、体验来的。再说下去,就是一句老话了:文学离不开生活。

当年胡适给人题词:"有一分事实说一分话"。对于作家,我们也可说:"有多少细节,写多少作品。"没有好细节,也要拼命写,行吗?也行,但十有八九,那不是好作品。

"马鸣加"是长大以后的"大头儿子"

郑春华

我写"大头儿子"故事的时候,自己身边的儿子刚好上小学;我写"马鸣加"故事的时候,自己身边的儿子刚好要进中学了。所以从某种程度上来说,"马鸣加"是长大以后的"大头儿子"。因为儿子是我最最熟悉的人,我写大头儿子也好,我写马鸣加也好,不可能不受到他的影响,相反,正是因为伴随着儿子成长的道路,使我孕育出了"大头儿子"和"马鸣加"这两个故事人物。

记得儿子刚上小学那会儿,几乎天天回来要对我说这说那:

"怎么会有人用'犬'起名字的?'犬'不就是'狗'的意思吗?"

"我给毛西文起了很多外号,毛病、毛手毛脚、毛驴……"

"今天还好我发现得早,要不这粒牙齿就找不到了!"

……

开始的时候,他对我说得最多的就是这类调皮捣蛋的事情和兴奋好奇的事情,我能感受到的也是这个年龄的孩子应有的情感、情绪和内心世界。我没有严厉地批评他给同学起外号,因为我小时候也有过这样的事情,它是没有恶意的,更不牵扯到品行问题,所以我只是用嘲笑的方式说他欺负女生难为情。

后来渐渐地，儿子回家对我说的除了调皮捣蛋的事情以外，却开始有着越来越多的不愉快和不开心的事情：

"老师重女轻男，总是让男生抄课文抄得多！"

"我们在太阳下面做操表演，参观的老师却撑伞！"

"我将来长大一定要把制造《一课一练》《名牌小学试题》的工厂炸掉！"

……

随着儿子年龄的增长以及他与这个社会越来越近距离的接触，所产生的摩擦也越来越大，因为他不再是一个大人说什么就是什么的孩子了，他逐渐地开始形成自己对外界的评判能力和批判能力。我开始感受到了儿子内心的不满情绪，也因此对他的内心特别地关注起来，因为如果我作为母亲不去积极地帮助他，他的这种不满情绪就会越来越多，越来越深，最终将会影响到他整个的人生观和价值观。而对于儿子的不满情绪我没有采用轻视的态度，更不会采用批评的态度，因为我觉得儿子不满情绪的产生是有他的理由的。我在表示对他体谅的同时，告诉他如何以最大的胸怀去谅解别人，告诉他老师也是一个普通的人，她除了是老师以外，还有其他各种身份，老师也有自己的喜怒哀乐、自己的无奈……

在越来越多的这样的交谈中，我忽然发现从幼儿园到小学的这个转折点是非常重要的，可它却往往被孩子表面的"上学了的喜悦"所蒙蔽，这种转折隐藏着很多的不适应、不协调、不确定等，它太多地淤积在孩子的内心，就变成了一种"痛"，一种成长着的"痛"。

就是这个"痛"，促使我写起了"马鸣加"的故事，我想通过"马鸣加"的故事告诉痛着的孩子这是成长的必然和成长的代价,要勇敢地去面对它;我更想提醒已经离别童年久远的成人,不要忘记自己成长时的"痛",要尽可能耐心、宽容、平和地对待今天自己身边正"痛"着的孩子! 正成长着的孩子!

图书在版编目(C I P)数据

马鸣加和匿名信/郑春华著.—上海:少年儿童出版社,
2007.3
(非常小子马鸣加)
ISBN 978-7-5324-7237-6

Ⅰ.马... Ⅱ.郑... Ⅲ.儿童文学—故事—作品集—中国—
当代 Ⅳ.I287.5
中国版本图书馆CIP数据核字 (2007) 第012936号

非常小子马鸣加

马鸣加和匿名信

郑春华 著

姚 红 绘画

赵晓音 装帧

周 晴 策划

责任编辑 梁 燕 美术编辑 赵晓音
责任校对 沈丽蓉 技术编辑 许 辉

出版:上海世纪出版股份有限公司少年儿童出版社
地址:200052 上海延安西路 1538 号
发行:上海世纪出版股份有限公司发行中心
地址:200001 上海福建中路 193 号
易文网:www.ewen.cc 少儿网:www.jcph.com
电子邮件:postmaster @ jcph.com

印刷:上海商务联西印刷有限公司
开本:889×1194 1/32 印张:2.75 字数:50 千字 插页:4
2012 年 11 月第 1 版第 10 次印刷
ISBN 978-7-5324-7237-6/I·2601
定价:10.00 元